Direction de la publication : Isabelle Jeuge-Maynart
et Ghislaine Stora
Direction éditoriale : Delphine Blétry
Édition : Julie Tallet
Direction artistique : Emmanuel Chaspoul, assisté d'Anna Bardon
Informatique éditoriale : Marion Pépin et Philippe Cazabet
Lecture-correction : Joëlle Narjollet
Couverture : Véronique Laporte
Fabrication : Annie Botrel

ISBN 978-2-03-588958-4

Recettes pour
ÉTUDIANTS

Camille Antoine

Photographies de Nathalie Carnet

LAROUSSE

21 rue du Montparnasse 75283 Paris Cedex 06

Sommaire

Mini-camemberts rôtis au miel sur salade

POUR 2 PERSONNES

PRÉPARATION : 10 min
CUISSON : 10 min

> 2 mini-camemberts
> 2 c. à soupe de miel liquide
> 2 pincées de fleur de sel
> 2 pincées de poivre cinq baies
> 2 grandes tranches de pain de campagne ou 1/2 baguette
> 200 g de mesclun ou de jeunes pousses de salade

Pour la vinaigrette

> 2 c. à soupe de sauce soja
> 1 c. à soupe de vinaigre balsamique
> 2 c. à soupe de miel liquide
> 3 c. à soupe d'huile d'olive

1. Préchauffez le gril du four à 230 °C (therm. 7-8).
2. Coupez le dessus de la croûte de chaque petit camembert, comme un chapeau.
3. Versez le miel liquide sur les camemberts, salez et poivrez, puis enfournez-les sous le gril pour 10 min.
4. Pendant ce temps, faites griller le pain de campagne.
5. Préparez la vinaigrette pour le mesclun. Mélangez la sauce soja avec le vinaigre balsamique et le miel. Ajoutez l'huile d'olive. Émulsionnez bien à l'aide d'une fourchette et versez sur le mesclun.
6. Répartissez le mesclun sur les tartines de pain grillé et sortez les camemberts rôtis du four. Posez-les sur la salade et servez aussitôt !

Clafoutis tomates et gouda

POUR 2 OU 3 PERSONNES

PRÉPARATION : 10 min
CUISSON : 25 min

> 3 grappes de tomates cerises
> 3 œufs
> 1 c. à soupe de farine (ou de fécule de maïs)
> 15 cl de lait entier
> 20 cl de crème liquide
> 200 g de gouda râpé (ou de mimolette)
> sel et poivre

1. Préchauffez le four à 180 °C (therm. 6).

2. Lavez les tomates cerises sans les décrocher de leurs grappes, répartissez-les dans des plats rectangulaires individuels ou dans une moule à gâteau rond.

3. Dans un saladier, fouettez les œufs et la farine (ou la fécule de maïs), puis tout en continuant à fouetter, versez le lait et la crème liquide en filet. Incorporez ensuite le gouda râpé (ou la mimolette).

4. Versez cette préparation sur les tomates cerises. Salez et poivrez. Enfournez pour environ 25 min, jusqu'à ce que le dessus du clafoutis soit cuit et bien doré.

5. Dégustez le clafoutis aux tomates bien chaud avec une salade de mâche.

Gnocchis au pesto

POUR 2 PERSONNES

PRÉPARATION : 20 min

CUISSON : 3 min

> 1 sachet de gnocchis
  frais
> 1 filet d'huile d'olive
> fleur de sel et poivre

Pour le pesto
> 1 gousse d'ail
> 1 bouquet de basilic frais
> 30 g de pignons de pin
> 2 c. à soupe de parmesan
  râpé
> 4 c. à soupe d'huile
  d'olive

1. Préparez le pesto. Pelez la gousse d'ail, retirez le germe, et hachez-la finement avec un petit couteau pointu. Lavez le bouquet de basilic. Mixez-le avec l'ail haché, les pignons de pin, le parmesan et l'huile d'olive. Salez et poivrez. La crème obtenue doit être lisse.

2. Portez à ébullition une grande quantité d'eau dans une casserole, puis plongez les gnocchis dedans et faites-les cuire pendant environ 3 min (Pensez à vérifier le temps de cuisson sur l'emballage).

3. Versez un filet d'huile d'olive dans une grande poêle à feu doux. Ajoutez les gnocchis, puis le pesto. Faites sauter pendant 2 min. Servez sans attendre.

Ratatouille express aux œufs

POUR 2 PERSONNES

PRÉPARATION : 10 min

CUISSON : 20 min environ

> 2 courgettes
> 1 poivron rouge
> 1 aubergine
> 2 tomates
> 1 gousse d'ail
> 1 c. à soupe d'huile d'olive
> 4 œufs
> 1 c. à café d'herbes de Provence
> sel et poivre

1. Lavez et coupez les légumes en rondelles ou en cubes. Pelez la gousse d'ail.

2. Dans une sauteuse ou une grande poêle, versez l'huile d'olive, laissez chauffer 1 min, puis ajoutez la gousse d'ail pelée mais entière.

3. Lorsque l'huile est chaude mais non fumante, ajoutez tous les morceaux de légumes et faites dorer. Baissez ensuite le feu et laissez mijoter avec un couvercle pendant 10 à 15 min.

4. Cassez les œufs dans cette ratatouille et laissez-les cuire en mélangeant de temps en temps. Salez et poivrez. Parsemez d'herbes de Provence et servez.

Œufs cocotte au cantal et au haddock

POUR 2 PERSONNES

PRÉPARATION : 20 min
CUISSON : 12 min

> 100 g de haddock fumé cuit prêt à manger (sous vide)
> 2 à 4 gros œufs frais
> 50 g de cantal vieux
> 2 c. à soupe de crème liquide
> sel et poivre

1. Préchauffez le four à 210 °C (therm. 7).

2. Coupez le haddock en petits dés. Prenez deux ramequins, cassez dans chacun d'eux 1 ou 2 œufs. Ajoutez du haddock fumé coupé en dés.

3. Détaillez le cantal en fines lamelles. Répartissez celle
s-ci dans les ramequins, puis ajoutez 1 cuillerée à soupe de crème liquide dans chacun d'eux. Salez et poivrez.

4. Enfournez et laissez cuire pendant 12 min. Vous pouvez aussi les faire cuire au bain-marie dans une casserole avec 5 cm d'eau au fond, pendant 10 à 15 min en fonction de la taille des œufs.

Œufs au plat à la tomate et au speck

POUR 2 PERSONNES

PRÉPARATION : 10 min
CUISSON : 5 min

> une dizaine de tomates cocktail
> 2 c. à soupe d'huile d'olive
> 4 œufs frais
> 1 ou 2 gouttes de Tabasco
> 2 tranches de speck (ou de jambon cru ou de coppa)
> 50 g de pousses d'épinards frais en sachet
> sel et poivre

1. Lavez les tomates et coupez-les en deux. Dans une poêle chaude, versez l'huile d'olive, puis ajoutez les demi-tomates. Lorsqu'elles commencent à fondre, cassez les œufs dedans. Salez, poivrez et ajoutez 1 ou 2 gouttes de Tabasco sur les œufs.
2. Lorsque les œufs comment à prendre, ajoutez des lanières de speck et les pousses d'épinards.
3. Servez immédiatement.

Croque-monsieur brioché

POUR 2 PERSONNES

PRÉPARATION : 5 min
CUISSON : 5 à 10 min

> 4 tranches épaisses de brioche tressée
> 20 g de beurre salé
> 30 g de roquette
> 2 tranches de jambon blanc sans couenne
> 250 g de raclette en tranches

1. Préchauffez le gril du four à 200 °C (therm. 6-7).
2. Tartinez les tranches de brioche de beurre salé. Parsemez deux des tranches de roquette, puis recouvrez de tranches de jambon et de raclette. Refermez les croque-monsieur avec les deux morceaux de brioche restants.
3. Tartinez le dessus des croque-monsieur avec encore un peu de beurre salé.
4. Passez-les de 5 à 10 min sous le gril du four ou dans un appareil à croque-monsieur, si vous en avez un. Servez bien chaud.

CONSEIL : Si vous le pouvez, investissez dans un toaster à panini. Il en existe des tout petits et pas chers du tout. C'est idéal pour fabriquer soi-même toutes sortes de petits sandwichs chauds, fondants et pleins de bonnes choses fraîches (tomates, salade, concombres...) !

Galettes de pommes de terre au jambon

POUR 2 PERSONNES

PRÉPARATION : 20 min

CUISSON : 10 min

> 3 pommes de terre
  (de type bintje)
> 2 œufs
> 1 c. à soupe de farine
> 1 c. à soupe d'huile
  de tournesol
> 2 tranches de jambon
  épaisses
> sel et poivre

Pour la sauce au yaourt :
> 1 yaourt brassé nature
> 1 c. à café de moutarde
> épices (cumin, curry...)
  ou herbes ciselées
  (ciboulette, par exemple)

1. Pelez les pommes de terre, puis râpez-les avec une râpe à fromage. Mettez-les dans une passoire et appuyez fortement dessus pour bien éliminer l'eau. Versez dans un saladier, cassez les œufs dedans, puis ajoutez la farine et mélangez bien. Salez, poivrez et remuez.

2. Dans une poêle, chauffez l'huile. Elle doit être chaude mais pas fumante. Formez des tas de pomme de terre râpée avec deux cuillères à soupe en aplatissant légèrement le dessus. Retournez ces galettes toutes les 2 min. Arrêtez la cuisson quand elles sont dorées. Ajoutez les tranches de jambon pour les faire rôtir de chaque côté.

3. Préparez la sauce. Mélangez le yaourt, la moutarde, une pincée de sel et deux de poivre. Ajoutez des épices ou des herbes, selon votre goût.

4. Servez en intercalant une tranche de jambon et de la sauce au yaourt entre deux galettes de pommes de terre.

« Pies » aux poireaux, feta et lardons

POUR 2 PERSONNES

PRÉPARATION : 10 min
CUISSON : 30 min

> 2 gros poireaux
> 30 g de beurre
> 150 g de lardons « allumettes » fumés
> 15 cl de crème liquide
> 150 g de feta (ou de fromage frais de brebis)
> 1 pâte feuilletée préétalée
> sel et poivre

1. Préchauffez le four à 180 °C (therm. 6).

2. Lavez et émincez les poireaux. Dans une poêle assez grande, faites revenir les poireaux dans une noisette de beurre avec les lardons. Lorsque les poireaux commencent à fondre, ajoutez la crème liquide. Laissez cuire 5 ou 6 min en remuant de temps en temps.

3. Arrêtez le feu et ajoutez la feta coupée en gros dés.

4. Répartissez la préparation aux poireaux dans des bols ou des moules individuels allant au four. Recouvrez d'un morceau de pâte feuilletée de la taille des moules en collant bien les bords sur les parois. Enfournez pour 25 min.

Gratin de macaronis

POUR 4 PERSONNES

PRÉPARATION : 30 min
CUISSON : 15 à 20 min

> 300 g de macaronis
  (ou de coquillettes)
> 40 g de beurre
> 40 g de farine
> 50 cl de lait
> 40 cl de crème liquide
> 4 jaunes d'œufs
> 200 g de petits lardons
  de jambon fumé ou
  de bacon
> une petite boîte de sauce
  tomate
> 100 g de gruyère râpé
> sel

1. Préchauffez le four à 180 °C (therm. 6).
2. Portez à ébullition une grande quantité d'eau salée dans une casserole. Faites cuire les macaronis pendant 4 ou 5 min. Égouttez-les, puis passez-les sous l'eau froide quelques secondes.
3. Dans une casserole, faites fondre le beurre à feu doux, ajoutez la farine et mélangez bien. Versez ensuite le lait petit à petit en remuant toujours. Incorporez la crème liquide et les jaunes d'œufs.
4. Détaillez les lardons en petits dés. Mélangez-les avec les pâtes et la sauce blanche préparée précédemment.
5. Dans un plat à gratin, disposez la sauce tomate au fond, puis recouvrez avec les pâtes aux lardons et enfin terminez avec le gruyère râpé. Enfournez et laissez cuire de 10 à 15 min, jusqu'à ce que le gratin soit bien doré.

Frittata aux artichauts, lardons et thym

POUR 4 PERSONNES

PRÉPARATION : 15 à 20 min
CUISSON : 20 min environ

> 5 pommes de terre
  à peau rouge
> 2 poivrons jaunes ou
  rouges
> 1 petit oignon doux
> 1 boîte de cœurs
  d'artichauts
> 4 gros œufs frais
> un filet d'huile d'olive
> 200 g de lardons
> 1 c. à café de thym séché
> sel et poivre

1. Faites bouillir de l'eau salée dans une casserole. Lavez, puis coupez en rondelles pas trop épaisses les pommes de terre. Faites-les cuire 10 min dans la casserole. Égouttez.
2. Coupez les poivrons en lanières. Épluchez et détaillez l'oignon en petits dés. Égouttez les cœurs d'artichauts et coupez-les en quatre. Cassez les œufs dans un saladier, puis battez-les en omelette.
3. Dans une poêle, faites chauffer l'huile d'olive avec les lardons. Ajoutez l'oignon, puis les poivrons. Au bout de 3 min, ajoutez les artichauts et les pommes de terre. Lorsque le tout est bien doré, versez l'omelette par-dessus et laissez cuire à feu très doux pendant 3 min, jusqu'à ce que l'omelette soit ferme. Prenez une assiette de la taille de la poêle et renversez la frittata dedans. Remettez-la aussitôt dans la poêle pour faire cuire l'autre côté.
4. Parsemez de thym, salez, poivrez et servez avec une salade verte.

Pizza Margherita

POUR 4 PERSONNES

PRÉPARATION : 15 min
CUISSON : 15 min

> 1 pâte à pizza préétalée
> un petit bocal de sauce tomate au basilic
> 2 tranches de jambon blanc
> 2 boules de mozzarella
> herbes de Provence
> sel et poivre

1. Préchauffez le four à 180 °C (therm. 6).
2. Étalez la pâte à pizza sur une plaque de four avec son papier sulfurisé. Versez la sauce tomate dessus, puis étalez-la avec le dos d'une cuillère à soupe.
3. Coupez le jambon en lanières, la mozzarella en grosses rondelles et répartissez le tout sur la pizza. Parsemez d'herbes de Provence, salez et poivrez.
4. Enfournez et laissez cuire pendant 15 min environ.

CONSEIL : Cette pizza est une base. Vous pouvez, à votre guise, ajouter les ingrédients de votre choix : tomates fraîches, oignons, poivrons. Laissez libre cours à votre créativité !

Saucisses-lentilles ultra-simples

POUR 2 PERSONNES

PRÉPARATION : 5 min
CUISSON : 45 min

> 300 g de lentilles vertes du Puy (ou lentilles blondes)
> 2 grosses saucisses de Morteau (ou saucisses fumées)
> 2 bâtons de cannelle
> 1/2 botte de persil
> 1 cube de bouillon
> sel et poivre

1. Mettez les lentilles dans une passoire et rincez-les sous l'eau froide.

2. Dans une grande casserole, versez les lentilles et recouvrez-les des saucisses entières. Salez, poivrez, puis ajoutez les bâtons de cannelle et un peu de persil ciselé. Recouvrez de 50 cl d'eau et ajoutez le cube de bouillon. Couvrez et laissez cuire à feu moyen pendant 45 min.

3. Au moment de servir, retirez les bâtons de cannelle et coupez les saucisses en petits tronçons. Parsemez de persil ciselé.

Soupe de petits pois aux petits-suisses

POUR 2 PERSONNES

PRÉPARATION : 5 min
CUISSON : 15 min

> 1 filet d'huile d'olive
> 500 g de petits pois surgelés
> 5 feuilles de menthe fraîche (ou 1 c. à café de menthe ciselée surgelée)
> 1 cube de bouillon de volaille
> 2 petits-suisses
> sel et poivre

Pour servir
> 100 g de restes de poulet rôti

1. Faites chauffer l'huile d'olive dans une grande casserole ou une cocotte. Ajoutez les petits pois, laissez-les décongeler pendant 2 ou 3 min en remuant, puis parsemez de menthe ciselée.
2. Préparez le bouillon de volaille en faisant chauffer 40 cl d'eau avec le cube de bouillon dans une petite casserole. Ajoutez le bouillon aux petits pois et laissez mijoter pendant 10 à 15 min.
3. Lorsque les petits pois sont cuits, mélangez-les aux petits-suisses et mixez le tout. Salez et poivrez.
4. Servez la soupe avec des restes de poulet rôti disposés à la surface.

Nuggets maison

POUR 4 PERSONNES

PRÉPARATION : 25 min
CUISSON : 35 min

> 2 blancs de poulet
> 1 petit oignon
> 2 c. à soupe de corn flakes
> 1 c. à café de graines de pavot
> 1 œuf
> 20 cl d'huile pour la friture

1. Coupez les blancs de poulet en petits morceaux, puis hachez ceux-ci avec l'oignon coupé en deux, à l'aide d'un mixeur. Formez des boulettes de poulet haché dans le creux de la main. Si vous n'avez pas de mixeur, détaillez les blancs de poulet en tronçons de 1 cm de large sur 2 cm de long.

2. Réduisez les corn flakes en miettes assez fines : pour cela, mettez-les dans un petit sac en plastique, type congélation (de cette manière, les miettes de corn flakes ne s'échappent pas partout), et écrasez-les avec le poing.

3. Mélangez les miettes de corn flakes et les graines de pavot dans un premier bol et battez l'œuf en omelette dans un second. Passez successivement les boulettes de poulet dans l'œuf battu, puis dans la chapelure de corn flakes aux graines de pavot.

4. Faites chauffer les 20 cl d'huile de friture au fond d'une poêle, puis faites frire les nuggets de poulet panés dedans. Servez les nuggets maison avec une purée de pois cassés, par exemple.

Curry de poulet express

PRÉPARATION : 10 min
CUISSON : 20 min

> 1 oignon
> 2 escalopes de poulet (ou 2 blancs de poulet)
> 1 poivron rouge
> 1 c. à soupe d'huile d'arachide (ou d'huile d'olive)
> 2 c. à soupe de curry en poudre
> 2 c. à soupe de jus d'orange
> 1 boîte de pulpe de tomate
> 1 berlingot de lait de coco
> 1 banane (facultatif)
> sel et poivre

1. Pelez et coupez en grosses rondelles l'oignon, puis détaillez le poulet en grosses lanières. Coupez le poivron en dés.
2. Faites chauffer l'huile dans une grande casserole, une poêle ou une sauteuse, puis faites revenir quelques minutes les rondelles d'oignon sans les laisser se colorer. Ajoutez le curry en poudre, mélangez, puis incorporez les dés de poivron, les morceaux de poulet et le jus d'orange. Laissez rissoler 1 min, avant de verser la pulpe de tomate et le lait de coco.
3. Laissez le tout mijoter 10 min. Ajoutez, si vous le souhaitez, des petits morceaux de banane et prolongez la cuisson de 3 min. Servez avec du riz basmati.

Hamburgers fermiers

POUR 2 PERSONNES

PRÉPARATION : 25 min
CUISSON : 15 min

> 1 œuf
> 3 gouttes de Tabasco
> 2 escalopes de poulet bio
> 30 g de chapelure fine
> 1 c. à soupe d'huile
  d'olive
> 2 pains à hamburger
> 4 tranches très fines
  de poitrine fumée (ou
  de bacon fumé)
> 4 feuilles de batavia
> 1/2 gousse d'ail
  épluchée et hachée
> 1 ou 2 cornichons
> sel et poivre

Pour la sauce
> 1 yaourt nature
> 1 c. à café de moutarde
> 1/2 botte de ciboulette
> oignons blancs

1. Préchauffez le four à 180 °C (therm. 6).
2. Battez l'œuf dans bol, salez et poivrez, puis ajoutez le Tabasco. Plongez les blancs de poulet dedans. Dans une assiette creuse, versez de la chapelure, passez dedans les blancs de poulet, replongez-les dans l'œuf, puis à nouveau dans la chapelure. Dans une poêle chaude, versez l'huile et faites dorer les blancs de poulet panés de chaque côté.
3. Préparez la sauce. Mélangez le yaourt avec la moutarde. Salez, poivrez et ciselez la ciboulette dedans. Ajoutez des rondelles d'oignon blanc (réservez-en pour la finition).
4. Réchauffez les pains à hamburger 5 min au four. Grillez les tranches de poitrine dans la poêle encore chaude du poulet. Répartissez sur la partie inférieure des pains la sauce, la batavia, le poulet, la poitrine grillée, des cornichons et des rondelles d'oignon. Terminez par la partie supérieure des pains.

Spaghettis aux tomates et boulettes de viande

POUR 4 PERSONNES

PRÉPARATION : 25 min
CUISSON : 10 min environ

> 300 g de tomates cerises
> 1 gousse d'ail
> 1 c. à soupe d'huile d'olive
> 1 c. à soupe de vinaigre balsamique
> 1 c. à café de gros sel
> 400 g de spaghettis
> parmesan

Pour les boulettes de viande
> 1 petit oignon
> quelques brins de persil et de menthe
> 300 g de bœuf haché
> 1 œuf
> 1 c. à soupe de curry
> 10 cl d'huile d'olive
> sel et poivre
> 5 cl de crème liquide

1. Coupez les tomates cerises en deux et écrasez la gousse d'ail. Mettez-les dans un grand bol, ajoutez la cuillerée à soupe d'huile d'olive et le vinaigre balsamique.
2. Préparez les boulettes de viande. Coupez l'oignon en petits cubes. Ciselez le persil et la menthe dans un verre avec des ciseaux. Malaxez la viande avec l'oignon, l'ail, le persil et la menthe. Incorporez l'œuf et le curry, salez et poivrez. Formez des boulettes de la taille d'une noix dans le creux de la main et faites-les frire 10 min avec l'huile d'olive.
3. Portez à ébullition une grande quantité d'eau avec le gros sel dans une casserole. Jetez les spaghettis dedans et laissez cuire en suivant les indications de l'emballage.
4. Lorsque les pâtes sont cuites, égouttez-les. Ajoutez les tomates cerises et les boulettes de viande. Saupoudrez de parmesan, si vous en avez.

Escalope de veau panée au parmesan et pâtes

POUR 4 PERSONNES

PRÉPARATION : 15 à 20 min
CUISSON : 10 min environ

> 1 œuf
> 250 g de parmesan râpé
> 4 c. à soupe de chapelure
> 4 escalopes de veau extrafines
> un filet d'huile d'olive
> 400 g de pâtes fraîches (fetuccini)
> 1 pot de sauce tomate
> 20 cl de crème liquide
> sel et poivre

1. Battez l'œuf dans une première assiette creuse avec un peu d'eau pour le délayer. Mélangez le parmesan et la chapelure dans une seconde. Plongez successivement les escalopes de veau dans l'œuf, dans la chapelure, puis à nouveau dans l'œuf et la chapelure.

2. Faites chauffer une poêle avec un filet d'huile d'olive. Lorsque la poêle est chaude mais non fumante, mettez les escalopes dedans et laissez-les dorer quelques minutes de chaque côté. Salez et poivrez.

3. Portez à ébullition une grande quantité d'eau salée dans une casserole. Plongez les pâtes dedans et laissez-les cuire en suivant les indications de l'emballage.

4. Chauffez la sauce tomate dans une petite casserole et incorporez la crème liquide. Servez les pâtes al dente avec la sauce tomate. Parsemez de parmesan et disposez les escalopes panées dessus.

Club-sandwichs au thon

POUR 2 PERSONNES

PRÉPARATION : 10 min

> 8 tranches de pain de mie complet sans la croûte
> 1 boîte de thon au naturel
> 2 c. à soupe de mayonnaise bio
> 1 sachet de chou blanc émincé
> 1 sachet de pousses d'épinards
> sel et poivre

1. Faites griller les tranches de pain de mie à l'aide d'un grille-pain.

2. Dans un bol, mélangez le thon émietté avec la mayonnaise, du sel et du poivre. Ajoutez le chou blanc. Rectifiez l'assaisonnement selon votre goût. Si nécessaire, ajoutez 1 cuillerée à café d'eau pour délayer la mayonnaise avant de l'ajouter au thon.

3. Tartinez la moitié des tranches de pain grillé avec cette préparation. Parsemez de jeunes pousses d'épinards, puis recouvrez d'une autre tranche de pain par-dessus. Coupez les sandwichs en deux pour obtenir des triangles. Superposez deux sandwichs triangles et maintenez le tout avec une pique en bois.

4. Servez ces sandwichs au thon avec une salade de jeunes pousses d'épinards.

Sauté de cabillaud aux courgettes

POUR 2 PERSONNES

PRÉPARATION : 5 min
MARINADE : 30 min
CUISSON : 20 min

> 300 g de filet ou de dos de cabillaud
> 2 c. à café de quatre-épices
> 2 courgettes
> 2 c. à soupe d'huile d'olive
> quelques brins d'aneth
> 1 petite boîte de sauce tomate
> 1 c. à café de sucre en poudre
> sel et poivre

1. Coupez le cabillaud en gros dés. Mettez ceux-ci dans une assiette creuse et laissez mariner avec l'huile d'olive et le quatre-épices pendant environ 30 min.
2. Détaillez les courgettes en rondelles pas trop fines.
3. Dans une sauteuse, versez un filet d'huile d'olive et laissez griller les courgettes pendant 5 min. Lorsqu'elles commencent à fondre, ajoutez les dés de cabillaud marinés. Parsemez d'aneth ciselé. Laissez cuire 5 à 8 min de plus.
4. Pendant ce temps, mélangez la sauce tomate avec le sucre et de l'aneth ciselé. Salez et poivrez cette sauce.
5. Servez le sauté de cabillaud aux courgettes accompagné de la sauce tomate aromatisée.

Salade de riz exotique

POUR 4 PERSONNES

PRÉPARATION : 15 min
CUISSON : 10 min environ
RÉFRIGÉRATION : 30 min

> 2 sachets individuels
> de riz long non collant
> un filet d'huile d'olive
> 4 bâtonnets de surimi
> une petite boîte
> de tranches d'ananas
> 1 kiwi
> 1 avocat
> 100 g de crevettes
> décortiquées
> une petite boîte de maïs
> en grains

Pour la vinaigrette
> 1 c. à soupe de
> mayonnaise
> 1 c. à café de moutarde
> 3 c. à soupe d'huile d'olive
> 1 c. à soupe de vinaigre
> de vin blanc (xérès)
> sel et poivre

1. Portez un grand volume d'eau salée à ébullition dans une casserole. Faites cuire le riz en suivant les indications de l'emballage. Égouttez-le, puis ajoutez un filet d'huile d'olive et laissez-le refroidir.
2. Préparez la vinaigrette. Mélangez la mayonnaise avec la moutarde, l'huile d'olive et le vinaigre. Salez et poivrez selon votre goût.
3. Coupez le surimi en tronçons, les tranches d'ananas en petits morceaux, le kiwi en tranches et l'avocat en dés. Égouttez les crevettes et le maïs.
4. Lorsque le riz est froid, mélangez-le aux autres ingrédients, puis ajoutez la vinaigrette. Remuez le tout très doucement. Mettez au frais pendant 30 min et servez.

Tarte fine aux pommes et au sirop d'érable

POUR 4 PERSONNES

PRÉPARATION : 20 min
CUISSON : 20 à 25 min

> 1 pâte feuilletée préétalée
> 50 g de compote de pommes ou d'abricots-poires
> 4 pommes goldens
> 60 g de beurre salé
> 50 g de sucre en poudre
> 2 c. à soupe de sirop d'érable
> crème Chantilly prête à l'emploi

1. Préchauffez le four à 180 °C (therm. 6).
2. Étalez la pâte directement sur une plaque de four avec son papier sulfurisé. Vous n'avez pas besoin de moule à tarte. Piquez la pâte avec une fourchette. Vous pouvez aussi préparer des petites tartelettes individuelles en découpant la pâte en rectangles de 10 cm de long sur 6 cm de large.
3. Répartissez la compote de pommes sur la pâte feuilletée. Coupez les pommes en lamelles les plus fines possible, puis disposez-les sur la compote. Coupez le beurre en tout petits morceaux et répartissez-les un peu partout sur la tarte. Saupoudrez de sucre.
4. Enfournez et faites cuire de 20 à 25 min en fonction de votre four. Au dernier moment, arrosez de sirop d'érable. Servez tiède avec de la crème Chantilly !

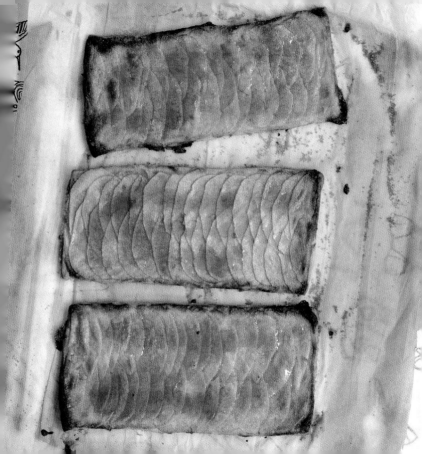

Compote de pommes et framboises

POUR 2 PERSONNES

PRÉPARATION : 10 min
CUISSON : 15 min

> 2 pommes
> 10 cl de jus de pomme
> 3 c. à soupe de sucre blond en poudre
> 150 g de framboises surgelées (ou fraîches, en été)
> un sachet de petits biscuits sablés au beurre

1. Pelez les pommes et coupez-les en gros dés irréguliers.

2. Dans une casserole à fond épais, déposez les dés de pomme et versez le jus de pomme. Laissez les pommes fondre à feu moyen pendant 5 min. Ajoutez le sucre blond et les framboises. Mélangez doucement.

3. Faites cuire le tout sur feu moyen pendant 10 min.

4. La compote ne doit pas forcément être liquide, vous pouvez la garder avec des morceaux ou bien la mixer. Servez tiède avec les petits biscuits au beurre.

Gâteau au chocolat express (dans un verre !)

POUR 4 PERSONNES

PRÉPARATION : 15 min

CUISSON : 10 min

> 100 g de beurre demi-sel
> 100 g de chocolat
  en morceaux
> 75 g de farine fluide
  tamisée
> 120 g de sucre en poudre
> 2 œufs

1. Préchauffez le four à 210 °C (therm. 7).

2. Faites fondre le beurre et le chocolat ensemble dans une petite casserole à feu doux.

3. Dans un saladier, mettez la farine tamisée et le sucre en poudre. Cassez les œufs dedans. Mélangez bien avec une fourchette. Ajoutez le chocolat fondu légèrement tiédi, puis mélangez très vivement.

4. Versez ce mélange dans des petits verres Duralex préalablement beurrés. Bien sûr, si vous en avez, vous pouvez aussi utiliser un moule à manqué, à cake ou des petits moules jetables individuels.

5. Enfournez et faites cuire 10 min.

Bananes et ananas caramélisés aux spéculoos

POUR 4 PERSONNES

PRÉPARATION : 15 min
CUISSON : 10 min environ

> 2 petits ananas Victoria
> 4 bananes
> 40 g de beurre doux
> 2 gousses de vanille
> 2 c. à soupe de sucre roux en poudre
> 1 pointe de gingembre en poudre (à défaut, cannelle en poudre)
> 8 spéculoos

1. Pelez les ananas et coupez-les en tronçons, dés ou cubes. Pelez les bananes et coupez-les en rondelles.
2. Dans une poêle, faites fondre le beurre, puis ajoutez les fruits dedans.
3. Ouvrez les gousses de vanille, récupérez les graines et mélangez-les avec le sucre et le gingembre. Versez le tout dans la poêle. Ajoutez les gousses de vanille, mélangez et laissez caraméliser pendant 5 min.
4. Émiettez les spéculoos en les cassant grossièrement avec les doigts. Parsemez-en les fruits. Laissez caraméliser et servez aussitôt dans des verrines.

TABLE DES ÉQUIVALENCES FRANCE – CANADA									
Poids	55 g	100 g	150 g	200 g	250 g	300 g	500 g	750 g	1 kg
	2 onces	3,5 onces	5 onces	7 onces	9 onces	11 onces	18 onces	27 onces	36 onces

Ces équivalences permettent de calculer le poids à quelques grammes près (en réalité, 1 once = 28 g).

Capacités	5 cl	10 cl	15 cl	20 cl	25 cl	50 cl	75 cl
	2 onces	3,5 onces	5 onces	7 onces	9 onces	17 onces	26 onces

Pour faciliter la mesure des capacités, une tasse équivaut ici à 25 cl (en réalité, 1 tasse = 8 onces = 23 cl).

Photogravure Turquoise, Émerainville
Imprimé en Italie par L.E.G.O. Spa, Vicenza
Dépôt légal : janvier 2013
310786/01 – 11021094 novembre 2012